감사의 글

미숙한 시절부터 지금까지 제 그림을 봐주시고 일러스트레이터로 자리 잡을 수 있도록 도와주신 분들이 너무나 많습니다. 덕분에 다양한 작품들을 만나 수많은 결과를 낼 수 있었습니다.
그동안 그린 작업물들을 책으로 만들 수 있게 허락해주신 소설 작가님들과 출판사들, 그리고 담당자님들께 감사드립니다.
앞으로도 작품과 독자님들 사이에서 즐겁게 감상할 수 있게 도와주는 연결 다리가 되고 싶습니다.

GAMRAM
감람

감람 일러스트집

ROMANCE

• 이 책에 실린 웹소설 표지 일러스트는 출판사와 소설 작가의 허락을 얻어 수록했습니다.

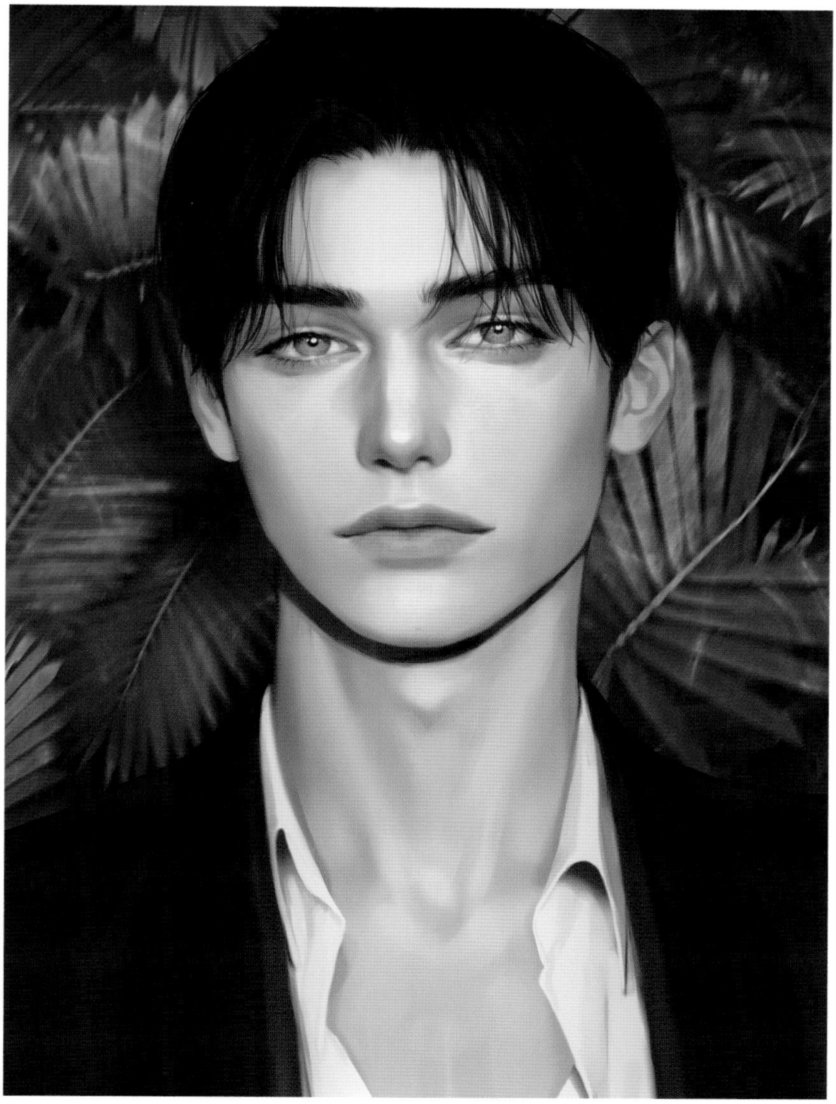

감람 일러스트집

ROMANCE

로맨스

테라코타

차례

1 꽃이 하고픈 말

2 그 무엇도 아닌 사랑만을 위해서

3
너를 내 품에 안고 그 모두를

4

사랑하기 위해 상처받는 것이므로

5

그대의 사람이고 싶네

6

…그리고, 그리워 그리다

개인작 모음

1

꽃이 하고픈 말

새벽녘 숲에서 꺾은 제비꽃, 이른 아침 그대에게 보내드리리
– 하이네 〈꽃이 하고픈 말〉 중에서

여름 복숭아의 맛

최강준

#도발적인_눈빛 #오후의_햇살 #탐스러운_복숭아 #그림자 #달콤한 #낯선_떨림

〈여름 복숭아의 맛〉, 나쁜김선생 지음, 가가린(카멜)

잡아먹히기 전에

강주원

#흐드러진_겹작약 #화사한 #청초한 #강렬한_인상 #비스듬히_기대앉은 #자동차_피규어

〈잡아먹히기 전에〉, 왕밤빵9 지음, 크레센도(에이템포미디어)

벗겼을 뿐인데

유휘찬

#야구장 #야간경기 #전광판 #유니폼 #야구배트를_든 #강렬한_눈매 #남성미

〈벗겼을 뿐인데〉, 윤해이 지음, 피플앤스토리

SG
HEROES
HEROES

대쉬(DASH)

권재경

#수영장 #젖은_머리 #물방울 #청량한 #아름다운_옆선 #늘씬한_근육

〈대쉬(DASH)〉, IJEN(이젠) 지음, W-Beast

대쉬(DASH)

정지헌

#수영장 #물에_젖은_드레스셔츠 #청초한 #가느한_눈매 #고요한 #온화한

〈대쉬(DASH)〉_외전, IJEN(이젠) 지음, W-Beast

그대 마음 한 스푼

하연주, 김재현

#긴_생머리 #넥타이를_거머쥔 #허리를_감싼 #단정한_섹시함 #밝고_따사로운 #커피잔&스푼

〈그대 마음 한 스푼〉, 서경 지음, 도서출판 쉼표

동녘과 백야

하무경, 채요원

#꽃밭 #야외소파 #퇴폐미vs러블리 #시계 #스커트를_움켜쥔_손 #기대앉은 #붉은_원피스

〈동녘과 백야〉, Hirachell 지음, 알에스미디어

안녕히 계세요 여러분!

윤보담

#해맑은_인사 #미풍에_날리는_나뭇잎 #귀여운 #포근한_니트 #몽글몽글 #오픈카

〈안녕히 계세요 여러분!〉, 상냥하개 지음, 비욘드

천천히, 한입에

권우신

#밝고_싱그러운 #셰프의_주방 #흰_셔츠&검은_앞치마 #입술에_댄_손가락 #은은한_섹시함

〈천천히, 한입에〉, 이른봄 지음, 디앤씨북스(디앤씨미디어)

스윗 슈가 캔디맨

권사헌

#부기장제복 #탄탄한_어깨 #살짝_올라간_입꼬리 #스윗한 #댄디한 #비행기구름

〈스윗 슈가 캔디맨〉, 아르카나 지음, 비욘드

KN
KN AIRLINE · KN AIRLINE · KN AIRLINE
KN AIRLINE · KN AIRLINE · KN AIRLINE

공과 사

신우영, 백승진

#등을_맞댄 #미묘한 #대등한 #단정함vs자유로움 #예민함vs호쾌함 #사무실&블라인드

〈공과 사〉, 이림 지음, 페로체(테라핀)

디스 러브(Diss Love)

차현호, 정의헌

#얼굴_반쪽만 #잘생븜vs훈남 #피어싱 #반짝반짝 #짜증이_묻어난vs여유롭고_태평한 #발랄한_색감

〈디스 러브(Diss Love)〉, 하태진 지음, 민트BL(페퍼민트)

B급 연애

명아주, 현일우

#블라인드&석양 #책상에_걸터앉은 #당황한_눈동자vs장난스러운_미소 #목에_걸린_공무원증 #후드티

〈B급 연애〉, 피사 지음, 시크노블(동아)

온앤온(on&on)

이강윤, 윤재윤

#나란히_앉은 #풋풋한 #녹음실 #무채색vs파스텔톤 #악보 #꽃다발 #무심한vs유혹하는

〈온앤온(on&on)〉, 시아 지음, 블래스트(위벨)

2

그 무엇도 아닌 사랑만을 위해서

당신이 날 사랑해야 한다면, 오직 그 무엇도 아닌 사랑만을 위해서 사랑해주세요
– 엘리자베스 배럿 브라우닝 〈당신이 날 사랑해야 한다면〉 중에서

도버맨(Doberman)

오웬

#금안 #냉혹한 #위험한_짐승 #총을_겨눈_손 #부유하는_빛 #목울대

〈도버맨(Doberman)〉, 춈춈 지음, 로즈엔

그만하면 다정했다

아킬레온 피네스 데모포스

#유혹적인 #깊고_푸른_눈 #백금발 #약지에_낀_반지 #깃털펜 #비스듬히_기대앉은

〈그만하면 다정했다〉, 세리안 지음, 로즈엔

리베라 리스트(Libera List)

테런스 랭던, 로엘 서튼

#키스_직전? #묘한_분위기 #흑발vs백금발 #시가를_든_손 #18세기_유럽풍 #심쿵_눈빛

〈리베라 리스트(Libera List)〉, 헤복 지음, 비욘드

불멸자들

서은표

#검게_물든_도시 #붉은_눈 #검은_철릭 #염화의_기운 #당당함&오만함 #자유분방한

〈불멸자들〉, G바겐 지음, W-Beast

태연한 거짓말

태준섭

#원톤_배경 #인물_부각 #촉촉한_눈빛 #남성적인_선 #옆으로_누운 #긴_손가락

〈태연한 거짓말〉, 김언희 지음, 카멜

개짓

정태언, 연사희

#옆모습 #마주선_남녀 #바라보는_시선 #서늘한_눈 #창백한_피부 #청초한_분위기

〈개짓〉, 김영한 지음, 카멜

로맨틱 섹슈얼

클레이 디어, 밀리안 디모시

#키스_직전 #섹시한_긴장감 #유혹적인 #집착하는 #탄력적인 #상반신_누드

〈로맨틱 섹슈얼〉, 우룬 지음, 필연매니지먼트

가짜 후궁

호연, 곡우

#고혹적인 #꽃을_띄운_욕조 #도발vs욕망 #물에_젖은_실루엣 #등에_붙은_꽃잎 #탄탄한_근육 #상투관

〈가짜 후궁〉, 온해 지음, 러브홀릭(키다리스튜디오)

혼불

윤태희, 김재겸

#사선분할 #방상시탈 #위에서_내려다보는 #아래에서_올려다보는 #싸늘한_무표정 #어둑한_신새벽

〈혼불〉, 톨쥬 지음, 비욘드

어니언 마말레이드

비비안 로젤리스, 위그 이디에트

#수직구도 #화려한 #오프숄더드레스 #오만한 #도발적인_포즈 #엄숙한 #장교복

〈어니언 마말레이드〉, 백서하 지음, 제로노블(동아)

남자는 지치지도 않았다

권이락

#카리스마 #어른미가_느껴지는 #나른한 #올백_헤어 #올라간_눈꼬리 #도시_야경

〈남자는 지치지도 않았다〉, 시크 지음, 피플앤스토리

이중네임

조강우, 마진혁, 기으뜸

#딥그린 #역삼각형구도 #선이_굵은_외모vs예민한_인상vs병약한_느낌 #진지한_분위기 #긴장감

〈이중네임〉, 윤아련 지음, 블리스(스튜디오 이케이)

애완 남자

릭 손 바흐만

#짙은_초록빛_눈동자 #나른한 #소년미 #덩굴장미 #반려견을_안은 #보스턴테리어

〈애완 남자〉, 송민선 지음, 러브홀릭(키다리스튜디오)

길 동물병원

미등록자

임해언, 하명현

#마주_보는_시선 #손에서_나오는_빛 #은은한_빛에_감싸인 #진지한 #아련한 #야경

〈미등록자〉, 헤복 지음, 비욘드

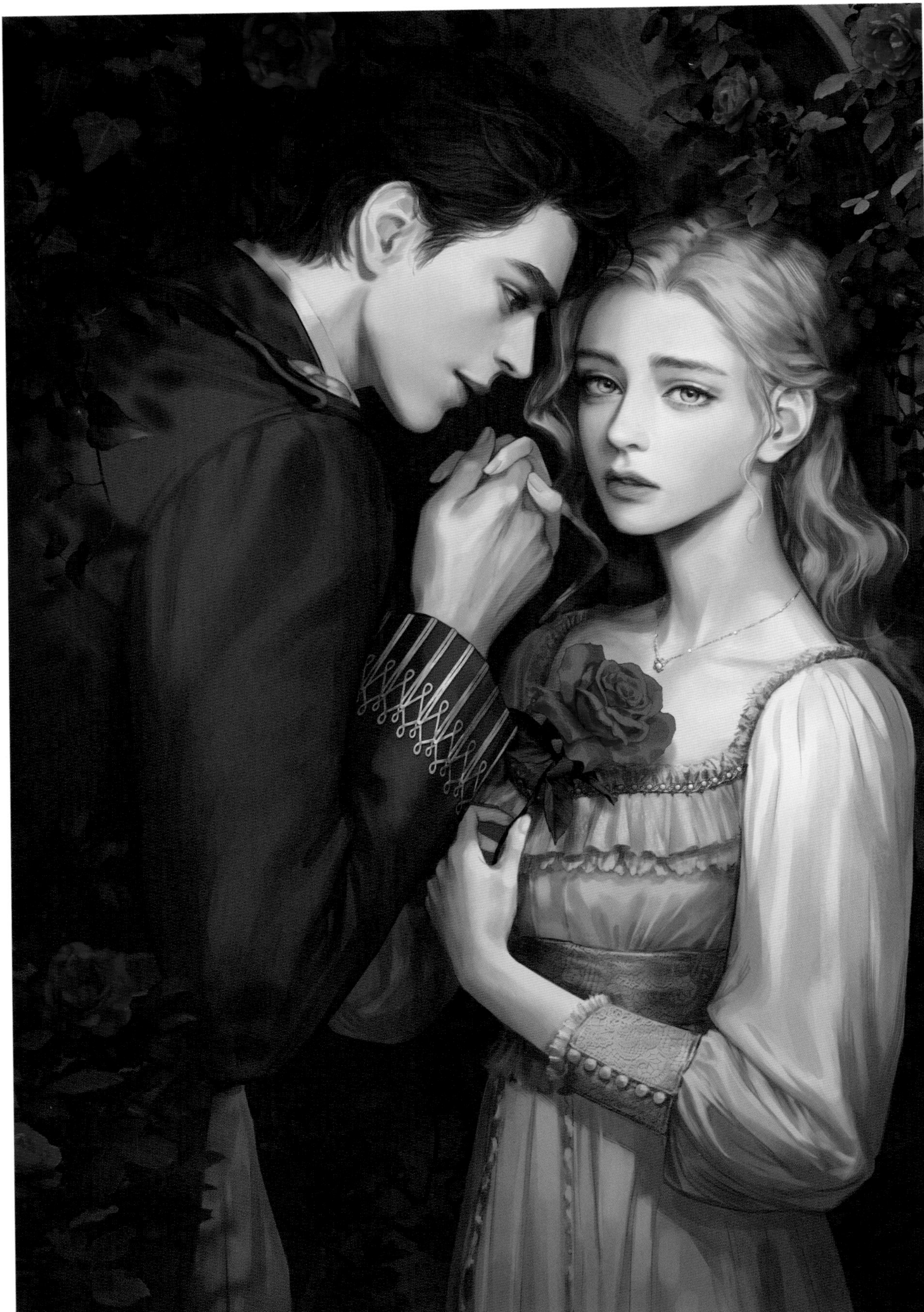

잠 못 드는 시녀의 밤

에드워드 케인 버터필드, 에바 벨 메이시스

#짙푸른_톤 #달빛 #엇갈리는_시선 #손등에_입맞춤 #갈등하는_눈빛 #우아한 #장미꽃

〈잠 못 드는 시녀의 밤〉, 홍세라 지음, 필연매니지먼트

3

너를 내 품에 안고 그 모두를

어둠 속에서 세 개비의 성냥에 불을 붙인다. …너를 내 품에 안고 그 모두를 기억하기 위해서
– 쟈끄 프레베르 〈밤의 파리〉 중에서

나의 그대는 악마

헤이나, 유리

#배덕한 #욕망하는 #격정적인 #금발vs적발 #금장드레스vs갑옷 #팔에_자상

〈나의 그대는 악마〉, 김빠 지음, 로즈엔

그 가이드가 집착광공의 품에서 벗어나는 방법

이연수, 주승혁

#어두운_실내 #표정대비 #겁에_질린vs여유로운 #피폐&코믹 #흰_제복 #붉은_망토 #수갑

〈그 가이드가 집착광공의 품에서 벗어나는 방법〉, 야생꽃 지음, 비욘드

양손에 쥔 가지

킬리언 데모닉 베네딕트
엘리시아 녹턴, 에녹 리하임 로브라이트

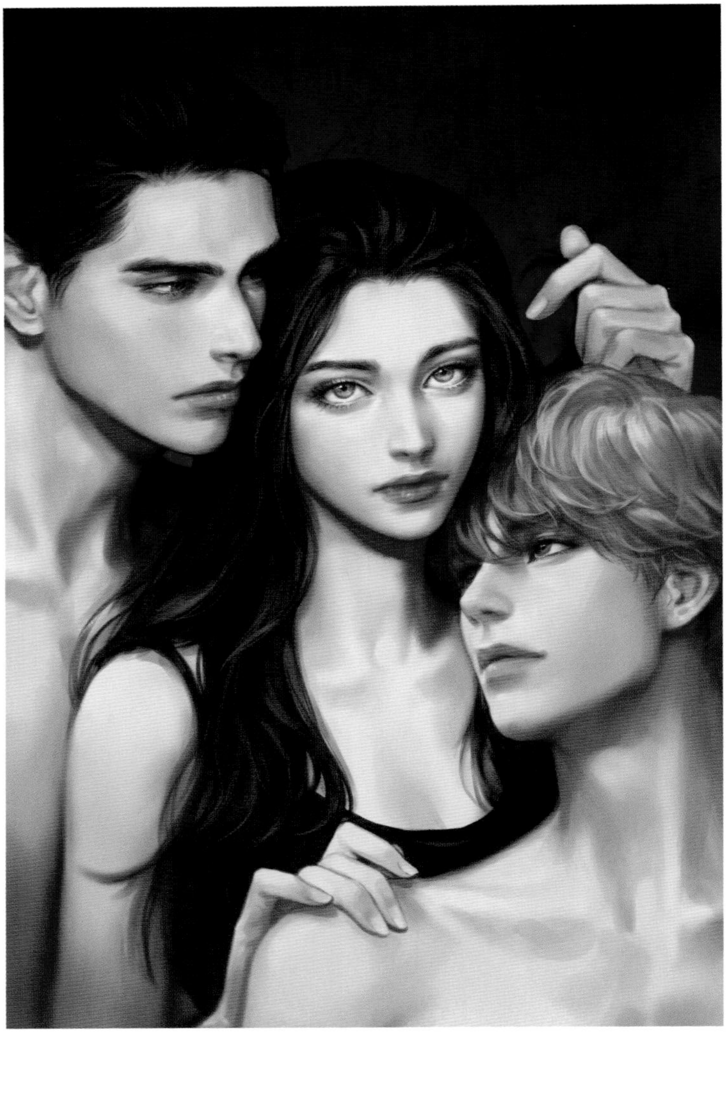

#삼각관계 #긴장감 #3인_3색 #집착vs무표정vs유혹적인 #서늘한_눈매vs푸른_눈동자vs보라색_눈동자

〈양손에 쥔 가지〉, 솔팜 지음, 로즈엔

스타라이트 라라라

라라라, 강시진

#따뜻한 #몽환적인 #키스_직전 #애틋함 #부드러운_갈색vs깔끔한_블랙 #필름플레임

〈스타라이트 라라라〉, 송려아 지음, 민트BL(페퍼민트)

네가 불행하기를

강인혁

#하얀_시트 #팔을_베고_누운 #나른한 #풀어헤친_셔츠 #서늘한_인상 #감정_없는_눈빛

〈네가 불행하기를〉, 김소한 지음, 이지콘텐츠(테라핀)

아내 인형

강승재

#위에서_내려다보는_시선 #오피스 #단정한_수트 #위압감 #절제된_눈빛 #의자에_앉은

〈아내 인형〉, 7월 지음, 일곱째달(로망띠끄)

예쁘게 우는 남자

임희승

#비_오는_창가 #넓은_어깨 #진지한_시선 #입가에_묻은_립스틱 #비에_젖은

〈예쁘게 우는 남자〉, 꽃제이(진소예) 지음, 크레센도(에이템포미디어)

후배의 여름

김민석

#유혹적인_분위기 #검은_폴라티 #은은한_그레이톤_배경 #강렬한_눈매 #차가운

〈후배의 여름〉, 교결 지음, 동아

밤에는 인어

지선원, 해인아

#침대에_누운 #관능적인 #물결치는_머리칼 #머메이드드레스 #흐트러진_수트 #위험한_눈빛

〈밤에는 인어〉, 정여름 지음, 이지콘텐츠(테라핀)

해줘요, 오빠

최강국, 구열애

#밝은_실내 #야릇한 #자연스럽게_흘러내리는_머리칼 #섹시한_근육 #귀엽고_뽀오얀 #사랑스러운

〈해줘요, 오빠〉, 온리온 지음, 알에스미디어

악의에 젖다

선우진, 하연경

#애증 #섹시 #눈을_가린_손 #블랙셔츠 #화려한_액세서리 #파티 #골드프레임_액자

〈악의에 젖다〉, 유나리 지음, 페퍼민트

자고 일어났더니

김재훈, 홍진주

#화사한 #아침햇살 #감싸안은 #섹시한 #자연스럽게_흐트러진 #감은_눈 #블랙&화이트

〈자고 일어났더니〉, 서경 지음, 피플앤스토리

짐승의 발자국

강태윤, 윤서우

#화려한_네온사인 #비오는_밤 #은밀한_차_안 #여리한_뒤태 #강렬한 #소유욕

〈짐승의 발자국〉, 츔츔 지음, ROO(원스토어)

죽어 마땅한 것들

강일현, 이자경

#사선분할 #서로_노려보는_시선 #넥타이를_잡아당기는_손vs칼을_쥔_손 #담배를_문vs입술을_짓씹는

〈죽어 마땅한 것들〉, 계자 지음, 블래스트(위벨)

신서유기

손우경, 현

#2분할구도 #인물대비 #어두운_색감 #섹슈얼한vs금욕적인 #자유분방한vs단정한 #강렬한_눈빛

〈신서유기〉, 하얀나비 지음, 요미북스

장미와 사막

로사 알렉세이 칼라닌

#백금발 #벽안 #차가운_인상 #유혹적인_눈매 #흰장갑 #손등에_입맞춤

〈장미와 사막〉, 설탕 지음, W-Beast

사리사욕

이묵영

#강렬한_분위기 #흑구렁이 #칠흑_같은_머리 #농염 #위험한 #상의_탈의

〈사리사욕〉, 마셰리 지음, ROO(원스토어)

3월

기태정

#느와르적인 #선이_굵은 #위압적인 #완벽한_수트 #시가에_불을_붙여주는 #검은_우산

〈3월〉, 모스카레토 지음, 비욘드

3월

이세화

#밝고_화사한 #선이_고운 #맑은_눈망울 #붉은_입술 #입술을_훑는_손 #꽃잎이_흩날리는

〈3월〉_외전, 모스카레토 지음, 비욘드

4

사랑하기 위해 상처받는 것이므로

꽃을 꺾기 위해서 가시에 찔리듯 사랑을 얻기 위해 내 영혼의 상처를 견뎌 낸다
상처받기 위해 사랑하는 게 아니라, 사랑하기 위해 상처받는 것이므로
- 조르주 상드 〈상처〉 중에서

펄(Perle)

막시밀리언 요아힘, 진 에르하르트

#중세유럽풍 #초상화 #요염한 #진주 #화려한_쥐스토코르&웨이스트코트 #단정한_프록코트

〈펄(Perle)〉, 체리만쥬 지음, 비욘드

디어 에데르트

크리스티앙 디트리히 클라웨, 성혜미(에데르트 아이나 클라웨), 발터 세르노티, 베네딕트 블라이

#깨진_거울 #거울_속에_갇힌 #3개의_면 #빛의_중심 #고양감 #기사복 #단발머리 #왕관&검

〈디어 에데르트〉, 김빠 지음, 로즈엔

백야(白夜)

드미트리 렌스키

#백금발 #서늘한_청안 #나른한 #퇴폐적인 #길죽한_손가락 #시가&술잔

〈백야(白夜)〉, 이한 지음, W-Beast

광안

광안 이현

#서늘한_기운 #위태로운_아름다움 #매화 #광기어린_눈 #상투관 #가슴에_흉터

〈광안〉, 라혜 지음, 가가린(카멜)

라푼젤 콤플렉스

주태원

#얼굴_부각 #순하고_나른한_눈매 #탐스러운_머리칼 #머리카락을_만지는_손 #고급시계

〈라푼젤 콤플렉스〉, 포슬포슬 지음, 이색(조아라)

감각의 정글

하제헌, 강여원

#무채색 #먹구름 #금욕섹시 #강압적인_분위기 #불안정한_눈빛 #가느다란_목선

〈감각의 정글〉, 사이키 지음, 모드(대원씨아이)

악역의 성좌인데 돈이 없어

최가현, 백태범

#흑발의_흰_피부 #검은_수트vs흰_제복 #커다란_천칭 #신비하고_성스러운 #황금&금화 #멸망세계

〈악역의 성좌인데 돈이 없어〉, 애송이수프 지음, 비욘드

러브 어페어

서문도

#담벼락에_풍성한_능소화 #꽃을_움켜쥔_손 #잔잔한_햇살 #헐거운_넥타이 #냉소적인

〈러브 어페어〉, 이유진 지음, 카멜

헤어짐의 방법

하조윤, 신권주

#회색빛_배경 #눈_내리는 #적막함 #백허그 #애절한 #카메라를_든 #선이_고운

〈헤어짐의 방법〉, 아마릴리아 지음, 비욘드

프릭(Freak)

장채준, 윤시온

#브라운톤 #욕조 #흠뻑_젖은_셔츠 #턱시도 #몽롱한_시선vs욕망어린_시선 #은밀한

〈프릭(Freak)〉, 몽년 지음, 로즈힙(다온크리에이티브)

세상의 끝

류태조, 윤이서

#애원하는_듯한 #간절한 #말간_눈동자 #눈을_감은 #오프숄더드레스 #섹시한_긴장감

〈세상의 끝〉, 달로 지음, 로즈엔

134

계략 결혼

윤재원, 김가을

#비에_젖은 #옆모습 #웨딩드레스 #아름다운_목선 #섹시한 #애처롭고_슬픈 #회색톤_배경

〈계략 결혼〉, 서단 지음, 도서출판 쉼표

불티

고백우, 차홍조

#레트로_분위기 #간판_불빛이_번지는 #톤다운된_색감 #아름답고_슬픈 #무심한 #불티가_날리는

〈불티〉, 틸루 지음, 톤(디앤씨미디어)

앙티로망(Anti-roman)

클로드, 이브

#거울에_비친 #총을_겨눈 #머스킷 #단호함vs태연함 #역동적인vs정적인 #화려한 #금장

〈앙티로망(Anti-roman)〉, 제노리노 지음, 블리뉴(재미로엔터테인먼트)

오, 나의 사탄새끼

이인, 권은강

#핏빛 #삼백안 #검은_눈&붉은_눈 #거대한_날개 #피_묻은_손가락 #붉은_입술 #사제복

〈오, 나의 사탄새끼〉, 라쉬 지음, 모드(대원씨아이)

조커(JOKER)

윤태하, 반선우, 은아토

#4분할구도 #3인_3색 #시니컬한vs나른한vs창백하게_질린 #다크한 #카드에_스며든_피 #가면

〈조커(JOKER)〉, 파란오렌지 지음, W-Beast

진저리

민태준

#위험한_분위기 #카리스마 #그레이톤 #붉은_와인 #풀어헤친_셔츠 #날카로운_시선

〈진저리〉, 시크 지음, 로망로즈(로망띠끄)

분홍색

현이건

#단정한_머리 #정면_응시 #화이트_벽 #스리피스_수트 #주머니에_손을_넣은 #조각_같은

〈분홍색〉, 7월 지음, 로망로즈(로망띠끄)

삭제

윤승조

#겨울비 #비에_젖은 #탄탄한_체격 #텅빈_눈 #절제된_슬픔 #무겁게_가라앉은

〈삭제〉, 유송주 지음, 폴라리스(대원씨아이)

마른익사

이언, 로건 하이어

#위압감 #세로_동공_금안 #하프팜장갑 #총을_겨눈 #창백한 #검은_뱀 #망가진_초상화

〈마른익사〉, 치율 지음, M블루(마야마루)

5

그대의 사람이고 싶네

나 그대에게 아름다운 이름이고 싶네. 차가운 바람 속에 그대 서 있을 때라도
그대 마음 따뜻하게 채워드릴 수 있는 그대의 사람이고 싶네
– 칼릴 지브란 〈나 그대에게〉 중에서

갑의 순정

강하진

#인물_부각 #단정한_스리피스_수트 #구릿빛_피부 #그윽한 #도시의_밤 #따뜻한_불빛

〈갑의 순정〉, 황한영(잠의여왕) 지음, 페가수스(피플앤스토리)

빛나는 거짓

박찬희, 윤태경

#서정적인 #겨울밤 #뒤로_넘어갈_듯한 #허리를_받쳐주는 #애틋한 #체크_목도리vs파스텔톤_폴라

〈빛나는 거짓〉, 새벽바람 지음, 프리즘(키다리스튜디오)

격렬한 청혼

허이건, 이해늘

#꽃잎이_흩날리는 #백허그 #눈을_가리는 #긴장감 #결혼예복 #깊고_짙은_눈vs크고_맑은_눈

〈격렬한 청혼〉, 적랑 지음, 러브홀릭(키다리스튜디오)

이혼해요, 우리

정라현, 위태준

#화사한_꽃배경 #반짝이는 #다정한 #블라우스&스커트 #사랑스러운 #수트 #진중한

〈이혼해요, 우리〉, 트래블러(블루J) 지음, 필연매니지먼트

우아하거나, 혹은 불순하거나

차수혁, 서하재

#욕조_속_연인 #물에_젖은 #애틋한 #관능적인 #감싸안은 #가녀린_목선 #붉은_슬립

〈우아하거나, 혹은 불순하거나〉, 꽃제이(진소예) 지음, 윤송스피넬(도서출판 윤송)

역하렘 게임 속으로 떨어진 모양입니다

이클롯 페이시스, 옐드리아 비옷테 세실리아, 나드리카

#은밀한 #3인_3색 #뚜렷한_이목구비vs적발의_자유분방한vs흐트러진_백금발 #강인한vs호쾌한vs처연한

〈역하렘 게임 속으로 떨어진 모양입니다〉, 이늬 지음, 다카포(마이디팟)

역하렘 게임 속으로 떨어진 모양입니다

로비아 쥬란느, 엘드리아 비옷테 세실리아, 시거

#평화로운_오후 #잔잔한_파문 #금테안경&책 #경계하는_눈빛 #대각선벨트 #여유로운 #편안한

〈역하렘 게임 속으로 떨어진 모양입니다〉, 이닉 지음, 다카포(마이디팟)

달콤한 사이코

로건, 오영

#깊은_눈 #넓은_어깨 #무표정 #단발머리 #행복한_미소 #오픈백원피스 #남녀_상반된_분위기

〈달콤한 사이코〉, 상림(메리J) 지음, 도서출판 쉼표

저런 놈도 애인이 있는데…

서란호, 우도환

#플라워숍 #꽃다발 #향기로운 #화사하고_포근한 #백허그 #헨리넥셔츠 #라운드넥니트

〈저런 놈도 애인이 있는데…〉, 봄날의복길이 지음, 비욘드

초미의 관심사

장건하

#자연스럽게_헝클어진 #정면_응시 #탄탄한_근육 #느슨한_로브 #커피&토스트

〈초미의 관심사〉, 상림(메리J) 지음, 도서출판 쉼표

은의 정원

신지훈, 윤소은

#등을_맞댄 #빛이_나는 #플라워숍 #냉미남 #도도한 #청순한 #가지런한_속눈썹

〈은의 정원〉, 채은 지음, 피플앤스토리

전망 좋은 방

윤은수, 차윤성

#온화한_빛 #창밖을_응시하는 #흰_드레스 #고아한 #백허그 #애틋한_분위기 #아련한

〈전망 좋은 방〉, 리버 진 지음, 윤송스피넬(도서출판 윤송)

그저 여명일 뿐

권범진, 윤준영

#아늑한_실내 #눈밑_생채기 #나른한 #유혹적인 #서늘한_미인 #고풍스러운_소파 #편안하게_기댄

〈그저 여명일 뿐〉, 우지혜 지음, 폴라리스(대원씨아이)

영의 노래

당천, 원영

#브라운톤 #신비로운_동양풍 #칠흑_같은_머리 #무릎에_앉힌 #당혹스러운 #날개 #뱀의_형상

〈영의 노래〉, 흑임자인절미 지음, 블리스(스튜디오 이케이)

유리안

유리안, 루이스

#푸른_달밤 #가지런한_흑발 #청초한 #굵게_땋은_은발 #레드다이아몬드_팔찌 #퍼플다이아몬드_목걸이

〈유리안〉, 하솔 지음, 페로체(테라핀)

이만 퇴근하겠습니다

신미주, 백강욱

#해질녘 #신비로운_보랏빛 #빌딩숲 #오피스룩 #느슨함 #날카로운_눈매 #붉은_입술

〈이만 퇴근하겠습니다〉, 이밀리 지음, 페퍼민트

위험한 연인

도선유, 고이서

#안정적인_컬러톤 #각자_의자에_앉은 #고고한vs편안한 #포니테일 #루즈한 #무쌍_눈매 #도시_야경

〈위험한 연인〉, 완전천재 지음, 모먼트(위벨)

표지 작업 과정

〈잡아먹히기 전에〉

〈동녘과 백야〉

〈리베라 리스트(Libera List)〉

표지 작업 과정

〈불멸자들〉

〈가짜 후궁〉

〈밤에는 인어〉

표지 작업 과정

〈죽어 마땅한 것들〉

〈3월〉

〈디어 에데르트〉

표지 작업 과정

〈계략 결혼〉

〈마른익사〉

〈역하렘 게임 속으로 떨어진 모양입니다〉

6

…그리고, 그리워 그리다

개인작 모음

나에게 사랑은 너를 그리는 일이다
나에게 그림은 너를 남기는 일이다

딥그린

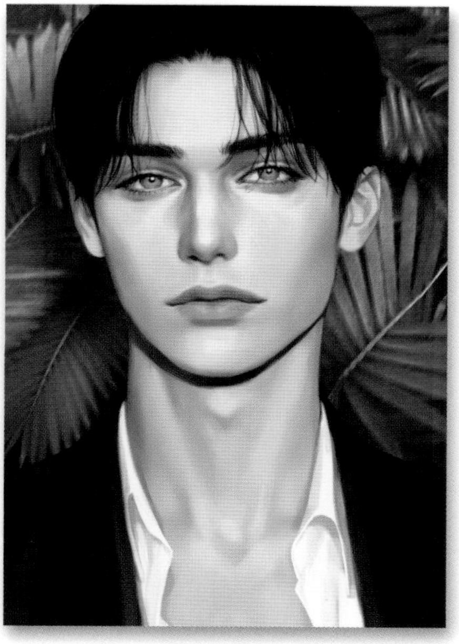

Star

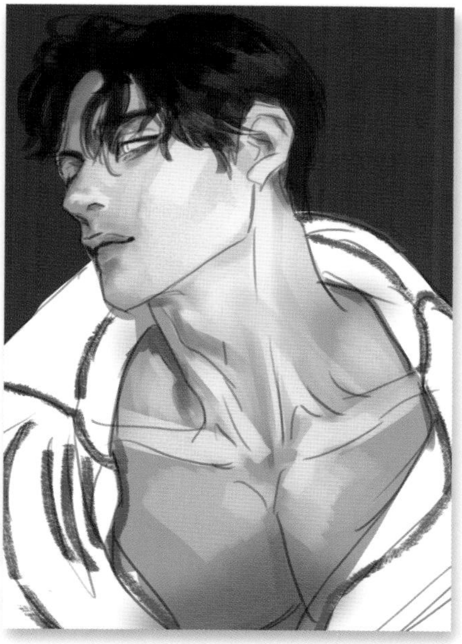
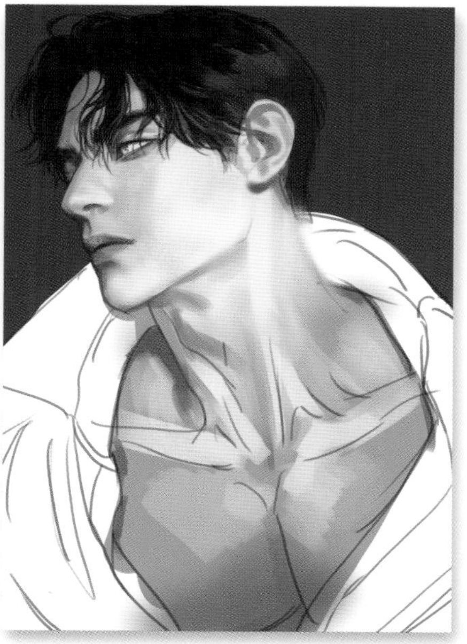

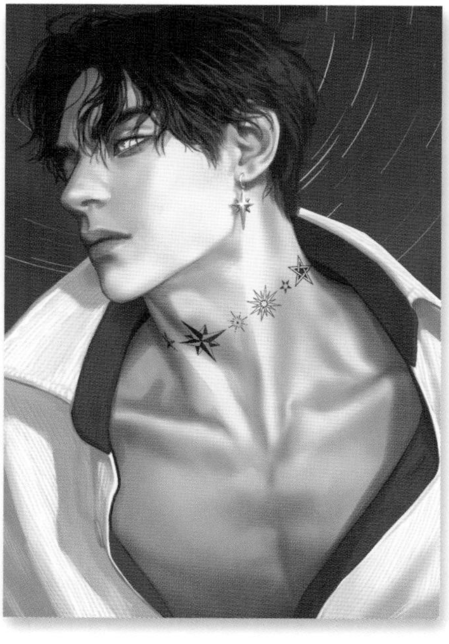

해변

하얀 장막

백합

벽타일

가을바람

검은 호랑이의 해

아포칼립스

시선

민트

Astronaut

새벽

하얀 소의 해

감람 일러스트집 ROMANCE

초판 1쇄 인쇄 2023년 3월 7일
초판 1쇄 발행 2023년 3월 28일
지은이 감람
펴낸이 이진영 배민수
기획·편집 밀리&셀리
디자인 urbook
마케팅 태리
펴낸곳 ㈜테라코타 **출판등록** 2023년 1월 13일 제2023-000019호
주소 서울특별시 강남구 남부순환로 2921, 164호
메일 terracotta_book@naver.com
인스타그램 @terracotta_book

ISBN 979-11-981803-1-5 03650